Constitución de la Nación Argentina de 1853

Barcelona 2024
Linkgua-ediciones.com

Créditos

Título original: Constitución de la Nación Argentina de 1853.

© 2024, Red ediciones S.L.

e-mail: info@linkgua.com

Diseño de cubierta: Michel Mallard.

ISBN rústica ilustrada: 978-84-9816-783-2.
ISBN ebook: 978-84-9334-397-2.

Sumario

Constitución de la Nación Argentina de 1853

Nos los Representantes del Pueblo de la Confederación Argentina, reunidos en congreso General constituyente por voluntad y elección de las Provincias que la componen, en cumplimiento de pactos preexistentes; con el objeto de constituir la unión nacional, afianzar la justicia, consolidar la paz interior, proveer a la defensa común, promover el bienestar general, y asegurar los beneficios de la libertad para nosotros, para nuestra posteridad, y para todos los hombres del mundo que quieran habitar en el suelo argentino: invocando la protección de Dios, fuente de toda razón y justicia: ordenamos, decretamos y establecemos esta Constitución para la Confederación Argentina:

Parte primera

Capítulo único

Declaraciones, derechos y garantías

Artículo 1.º La Nación Argentina adopta para su Gobierno la forma representativa republicana federal, según la establece la presente constitución.

Artículo 2.º El Gobierno federal sostiene el culto católico, Apostólico Romano.

Artículo 3.º Las autoridades que ejercen el Gobierno federal residen en la ciudad de Buenos Aires, que se declara capital de la Confederación por una ley especial.

Artículo 4.º El Gobierno federal provee a los gastos de la Nación con los fondos del Tesoro Nacional, formado del producto de derechos de importación y exportación de las aduanas, del de la venta o locación de tierras de propiedad nacional, de la renta de correos, de las demás contribuciones que equitativa y proporcionalmente a la población imponga el Congreso General; y de los empréstitos y operaciones de crédito que decrete el mismo Congreso para urgencias de la Nación o para empresas de utilidad nacional.

Artículo 5.º Cada Provincia confederada dictará para sí una Constitución bajo el sistema representativo republicano, de acuerdo con los principios, declaraciones y garantías de la Constitución Nacional, y que asegure su administrador de justicia, su régimen municipal, y la educación primaria gratuita. Las constituciones provinciales serán revisadas por el Congreso antes de su promulgación. Bajo estas condiciones el Gobierno Federal garante a cada Provincia el goce y ejercicio de sus instituciones.

Artículo 6.° El Gobierno Federal interviene con requisición de las Legislaturas o gobernadores Provinciales, o sin ella en el territorio de cualquiera de las Provincias, al solo efecto de restablecer el orden público perturbado por la sedición, o de atender a la seguridad nacional amenazada por un ataque o peligro exterior.

Artículo 7.° Los actos públicos y procedimientos judiciales de una Provincia gozan de entera fe en las demás: y el Congreso puede por leyes generales determinar cual será la forma probatoria de estos actos y procedimientos, y los efectos legales que producirán.

Artículo 8.° Los ciudadanos de cada Provincia gozan de todos los derechos, privilegios e inmunidades inherentes al título de ciudadano en las demás. La extradición de los criminales es obligación recíproca entre todas las Provincias confederadas.

Artículo 9.° En todo el territorio de la confederación, no habrá mas aduanas que las nacionales, en las cuales regirán las tarifas que sancione el congreso.

Artículo 10. En el interior de la República es libre de derechos la circulación de los efectos de producción o fabricación nacional, así como la de los géneros y mercancías de todas clases, despachadas en las aduanas exteriores.

Artículo 11. Los artículos de producción o fabricación nacional o extranjera, así como los ganados de toda especie que pasen por territorio de una Provincia a otra, serán libres de los derechos llamados de tránsito, siéndolo también los carruajes, buques o bestias en que se transporten; y ningún otro derecho podrá imponérseles en adelante, cualquiera que sea su denominación, por el hecho de transitar, el territorio.

Artículo 12. Los buques destinados de una Provincia a otra, no serán obligados a entrar, anclar y pagar derechos por causa de tránsito.

Artículo 13. Podrán admitirse nuevas Provincias en la Confederación pero no podrá erigirse una Provincia en el territorio de otra u otras, ni de varias formarse una sola, sin el consentimiento de la Legislatura de las Provincias interesadas, y del congreso.

Artículo 14. Todos los habitantes de la Confederación gozan de los siguientes derechos conforme a las leyes que reglamenten su ejercicio; a saber: de trabajar y ejercer toda industria lícita; de navegar y comerciar, de peticionar a las autoridades; de entrar, permanecer, transitar y salir del territorio argentino; de publicar sus ideas por la prensa sin censura previa; de usar y disponer de su propiedad; de asociarse con fines útiles; de profesar libremente su culto; de enseñar y aprender.

Artículo 15. En la Confederación Argentina no hay esclavos: los pocos que hoy existen quedan libres desde la jura de esta Constitución; y una ley especial reglará las indemnizaciones a que dé lugar esta declaración. Todo contrato de compra y venta de personas, es un crimen de que serán responsables los que lo celebrasen, y el escribano o funcionario que lo autorice.

Artículo 16. La Confederación Argentina no admite prerrogativas de sangre, ni de nacimiento: no hay en ella fueros personales ni títulos de nobleza. Todos sus habitantes son iguales ante la ley, y admisibles en los empleos sin otra consideración que la idoneidad. La igualdad es la base del impuesto y de las cargas públicas.

Artículo 17. La propiedad es inviolable, y ningún habitante de la Confederación puede ser privado de ella sino en virtud de sentencia fundada en ley. La expropiación por causa de utilidad pública, debe ser calificada por ley y previamente indemnizada. Solo el Congreso impone las contribuciones que se expresan en el artículo 4.°. Ningún servicio personal es exigible, sino en virtud de ley o de sentencia fundada en ley. Todo autor o inventor es propietario exclusivo de su obra, invento o descubrimiento, por el término que le acuerde la ley. La confiscación de bienes queda borrada para siempre del código penal Argentino. Ningún cuerpo armado puede hacer requisiciones ni exija auxilios de ninguna especie.

Artículo 18. Ningún habitante de la Confederación puede ser penado sin juicio previo fundado en ley anterior al hecho del proceso, ni juzgado por comisiones especiales, o sacado de los jueces designados por la ley antes del hecho de la causa. Nadie puede ser obligado a declarar contra sí mismo, ni arrestado sino en virtud de orden escrita de autoridad competente. Es inviolable la defensa en juicio de la persona y de los derechos. El domicilio es inviolable, como también la correspondencia epistolar y los papeles privados; y una ley determinará en qué casos y con qué justificativos podrá procederse a su allanamiento y ocupación.

Quedan abolidas para siempre la pena de muerte por causas políticas, toda especie de tormento, los azotes y las ejecuciones a lanza o cuchillo. Las cárceles de la Confederación serán sanas y limpias, para seguridad y no para castigo de los reos detenidos en ellas, y toda medida que a pretexto de precaución conduzca a mortificarlos mas allá de lo que aquella exija, hará responsable al juez que la autorice.

Artículo 19. Las acciones privadas de los hombres, que de ningún modo ofendan al orden y a la moral pública, ni perjudiquen a un tercero, estan solo reservadas a Dios, y exentas de la autoridad de los Magistrados. Ningún habitante de la Confederación será obligado a hacer lo que no manda la ley, ni privado de lo que ella no prohibe.

Artículo 20. Los extranjeros gozan en el territorio de la Confederación de todos los derechos civiles del ciudadano: pueden ejercer su industria, comercio y profesión; poseer bienes raíces, comprarlos y enajenarlos; navegar los ríos y costas; ejercer libremente su culto; testar y casarse conforme a las leyes. No están obligados a admitir la ciudadanía, ni a pagar contribuciones forzosas extraordinarias. Obtienen nacionalización residiendo dos años continuos en la Confederación; pero la autoridad puede acortar este término a favor del que solicite, alegando y probando servicio a la República.

Artículo 21. Todo ciudadano argentino está obligado a armarse en defensa de la Patria y de esta Constitución, conforme a las leyes que al efecto dicte el congreso y a los decretos del Ejecutivo Nacional.

Los ciudadanos por naturalización son libres de prestar o no este servicio, por el término de diez años contados desde el día en que obtengan su carta de ciudadanía.

Artículo 22. El Pueblo no delibera ni gobierna, sino por medio de sus representantes y autoridades creadas por esta Constitución. Toda fuerza armada o reunión de personas que se atribuya los derechos del pueblo y peticione a nombre de esta, comete delito de sedición.

Artículo 23. En caso de conmoción interior o de ataque exterior, que pongan en peligro el ejercicio de esta Constitución y de las autoridades creadas por ella, se declarará en estado de sitio la Provincia o territorio en donde exista la perturbación del orden, quedando suspensas allí las garantías constitucionales. Pero durante esta suspensión no podrá el presidente de la República condenar por sí ni aplicar penas. Su poder se limitará en tal caso respecto de las personas, a arrestarlas o trasladarlas de un punto a otro de la Confederación, si ellas no prefiriesen salir fuera del territorio argentino.

Artículo 24. El Congreso promoverá la reforma de la actual legislación en todos sus ramos y el establecimiento del juicio por jurados.

Artículo 25. El Gobierno Federal fomentará la inmigración europea; y no podrá restringir, limitar ni gravar con impuesto alguno la entrada en el territorio argentino de los extranjeros que traigan por objeto labrar la tierra, mejorar las industrias e introducir y enseñar las ciencias y las artes.

Artículo 26. La navegación de los ríos interiores de la Confederación es libre para todas las banderas, con sujeción únicamente a los reglamentos que dicte la Autoridad Nacional.

Artículo 27. El Gobierno Federal está obligado a afianzar sus relaciones de paz y comercio con las potencias extranjeras, por medio de tratados que estén en conformidad con los principios de derecho público establecidos en esta Constitución.

Artículo 28. Los principios, garantías y derechos reconocidos en los anteriores artículos, no podrán ser alterados por las leyes que reglamenten su ejercicio.

Artículo 29. El Congreso no puede conceder al Ejecutivo Nacional, ni las Legislaturas Provinciales a los gobernadores de Provincia, facultades extraordinarias, ni la suma del poder público, ni otorgarles sumisiones o supremacías, por las que la vida, el honor o las fortunas de los argentinos queden a merced de Gobiernos o persona alguna. Actos de esta naturaleza llevan consigo una nulidad insanable, y sujetarán a los que los formulen, consientan o firmen, a la responsabilidad y pena de los infames traidores a la Patria.

Artículo 30. La Constitución puede reformarse en el todo o en cualquiera de sus partes, pasados diez años desde el día en que la juren los Pueblos. La necesidad de reforma debe ser declarada por el Congreso con el voto de dos terceras partes, al menos, de sus miembros; pero no se efectuará sino por una Convención convocada al efecto.

Artículo 31. Esta Constitución, las leyes, de la Confederación que en su consecuencia se dicten por el Congreso, y los tratados con las potencias extranjeras, son la ley suprema de la Nación; y las autoridades de cada Provincia están obligadas a conformarse a ella, no obstante cualquiera disposición en contrario que contengan las leyes o Constituciones Provinciales.

Parte segunda

Autoridades de la Confederación

Título I. Del Gobierno Federal

Sección 1.ª Del Poder Legislativo

Artículo 32. Un Congreso compuesto de dos Cámaras una de diputados de la Nación, y otra de senadores de las Provincias y de la Capital, será investido del Poder Legislativo de la Confederación.

Capítulo I. De la Cámara de diputados

Artículo 33. La Cámara de diputados se compondrá de Representantes elegidos directamente por el pueblo de las Provincias y de la Capital, que se consideran a este fin como distritos electorales de un solo Estado, y a simple pluralidad de sufragios en razón de uno por cada veinte mil habitantes, o de una fracción que no baje del número de diez mil.

Artículo 34. Los diputados para la primera Legislatura se nombrarán en la proporción siguiente: Por la Capital seis (6): por la Provincia de Buenos Aires seis (6): por la de Córdoba seis (6): por la de Catamarca tres (3): por la de Corrientes cuatro (4): por la de Entre Ríos dos (2): por la de Jujuy dos (2): por la de Mendoza tres (3): por la de La Rioja dos (2): por la de Salta tres (3): por la de Santiago cuatro (4):

por la de San Juan dos (2): por la de Santa Fe dos (2): por la de San Luis dos (2): y por la de Tucumán tres (3).

Artículo 35. Para la segunda Legislatura deberá realizarse el censo general, y arreglarse a él el número de diputados; pero este censo solo podrá renovarse cada diez años.

Artículo 36. Para ser diputado se requiere haber cumplido la edad de veinticinco años, y tener cuatro años de ciudadanía en ejercicio.

Artículo 37. Por esta vez las Legislaturas de las Provincias reglarán los medios de hacer efectiva la elección directa de los diputados de la Nación; para lo sucesivo el Congreso expedirá una ley general.

Artículo 38. Los diputados durarán en su representación cuatro años, y son reelegibles: pero la Sala se renovará por mitad cada bienio; a cuyo efecto los nombrados para la primera Legislatura luego que se reúnan, sortearán los que deban salir en el primer periodo.

Artículo 39. En caso de vacante, el Gobierno de Provincia o de la Capital hace proceder a la elección legal de un nuevo miembro.

Artículo 40. A la Cámara de diputados corresponde exclusivamente la iniciativa de las leyes sobre contribuciones y reclutamiento de tropas.

Artículo 41. Solo ella ejerce el derecho de acusar ante el Senado al presidente y vicepresidente de la Confederación y a sus ministros, a los miembros de ambas Cámaras, a los de la Corte Suprema de Justicia y a los gobernadores de Provincia, por delitos de traición conclusión, malversación de fondos públicos, violación de la Constitución u otros que merezcan pena infamante o de muerte; después de haber conocido de ellos; a petición de parte de alguno de sus miembros; y declarando haber lugar a formación de causa por mayoría de dos terceras partes de sus miembros presentes.

Capítulo II. Del Senado

Artículo 42. El Senado se compondrá de dos senadores de cada Provincia; elegidos por sus legislaturas a pluralidad de sufragios; y dos de la Capital elegidos en la forma prescripta para la elección del presidente de la Confederación. Cada senador tendrá un voto.

Artículo 43. Son requisitos para ser elegido senador tener la edad de treinta años; haber sido seis años ciudadano de la Confederación; y disfrutar de una renta anual de dos mil pesos fuertes; o de una entrada equivalente.

Artículo 44. Los senadores duran nueve años en el ejercicio de su mandato, y son reelegibles indefinidamente; pero el Senado se renovará por terceras partes cada tres años; decidiéndose por la suerte; luego que todos se reúnan; quiénes deben salir el 1.° y 2.° trienio.

Artículo 45. El vicepresidente de la Confederación será presidente del Senado; pero no tendrá voto sino en el caso que haya empate en la votación.

Artículo 46. El Senado nombrará un presidente provisorio que lo presida en caso de ausencia del vicepresidente; o cuando este ejerza las funciones de presidente de la Confederación.

Artículo 47. Al Senado corresponde juzgar en juicio público a los acusados por la Cámara de diputados; debiendo sus miembros prestar juramento para este acto. Cuando el acusado sea el presidente de la Confederación; el Senado será presidido por el presidente de la Corte Suprema. Ninguno será declarado culpable; sino a mayoría de los dos tercios de los miembros presentes.

Artículo 48. Su fallo no tendrá más efecto que destituir al acusado, y aun declararlo incapaz de ocupar ningún empleo de honor; de confianza o a sueldo en la Confederación. Pero la parte condenada quedará, no obstante, sujeta a acusación juicio y castigo conforme a las leyes ante los tribunales ordinarios.

Artículo 49. Corresponde también al Senado autorizar al presidente de la Confederación para que declare en estado de sitio, uno o varios puntos de la República en caso de ataque exterior.

Artículo 50. Cuando vacase alguna plaza de senador por muerte; renuncia u otra causa; el Gobierno a que corresponda la vacante; hace proceder inmediatamente a la elección de un nuevo miembro.

Artículo 51. Solo el Senado inicia las reformas de la Constitución.

Capítulo III. Disposiciones comunes a ambas Cámaras

Artículo 52. Ambas Cámaras se reunirán en sesiones ordinarias todos los años desde el 1.° de mayo hasta el 30 de septiembre. Pueden también ser convocadas, extraordinariamente por el presidente de la Confederación, o prorrogadas sus sesiones.

Artículo 53. Cada Cámara es Juez de las elecciones, derechos y títulos de sus miembros en cuanto a su validez. Ninguna de ellas entrará en sesión sin la mayoría absoluta de sus miembros; pero un número menor podrá compeler a los miembros ausentes a que concurran a las sesiones, en los términos y bajo las penas que cada cámara establecerá.

Artículo 54. Ambas Cámaras empiezan y concluyen sus sesiones simultáneamente. Ninguna de ellas; mientras se hallen reunidas, podrá, suspender sus sesiones mas de tres días, sin el consentimiento de la otra.

Artículo 55. Cada Cámara hará su reglamento y podrá con dos tercios de votos corregir a cualquiera de sus miembros por desorden de conducta en el ejercicio de sus funciones; o removerlo por inhabilidad física o moral sobreviniente a su incorporación, y hasta excluirlo de su seno; pero bastará la mayoría de uno sobre la mitad de los presentes para decidir en las renuncias que voluntariamente hicieren de sus cargos.

Artículo 56. Los senadores y diputados prestarán, en el acto de su incorporación, juramento de desempeñar debidamente el cargo, y de obrar en todo en conformidad a lo que prescribe esta Constitución.

Artículo 57. Ninguno de los miembros del Congreso puede ser acusado, interrogado judicialmente, ni molestado por las opiniones o discursos que emita desempeñando su mandato de legislador.

Artículo 58. Ningún senador o diputado, desde el día de su elección hasta el de su cese, puede ser arrestado; excepto el caso de ser sorprendido *in fraganti* en la ejecución de algún crimen que merezca pena de muerte, infamante, u otra aflictiva; de lo que se dará cuenta a la cámara respectiva con la información sumaria del hecho.

Artículo 59. Cuando se forme querella por escrito ante las justicias ordinarias contra cualquier senador o diputado, por delito que no sea de los expresados en el **Artículo 41**, examinado el mérito del sumario en juicio público, podrá cada Cámara con dos tercios de votos, suspender en sus funciones al acusado, y ponerlo a disposición del juez competente para su juzgamiento.

Artículo 60. Cada una de las Cámaras puede hacer venir a su Sala, a los ministros del Poder Ejecutivo para recibir las explicaciones e informes que estime convenientes.

Artículo 61. Ningún miembro del Congreso podrá recibir empleo o comisión del Poder Ejecutivo, sin previo consentimiento de la Cámara respectiva, excepto los empleos de escala.

Artículo 62. Los eclesiásticos regulares no pueden ser miembros del Congreso, ni los gobernadores de Provincia por la de su mando.

Artículo 63. Los servicios de los senadores y diputados son remunerados por el tesoro de la Confederación con una dotación que señalará la ley.

Capítulo IV. Atribuciones del Congreso

Artículo 64. Corresponde al Congreso:

1.º Legislar sobre las Aduanas exteriores, y establecer los derechos de importación y exportación que han de satisfacerse en ella.

2.º Imponer contribuciones directas por tiempo determinado y proporcionalmente iguales en todo el territorio de la Confederación, siempre que la defensa, seguridad común y bien general del Estado lo exijan.

3.º Contraer empréstitos de dinero sobre el crédito de la Confederación.

4.º Disponer del uso y de la enajenación de las tierras de propiedad Nacional.

5.° Establecer y reglamentar un Banco Nacional en la Capital y sus sucursales en las Provincias, con facultad de emitir billetes.

6.° Arreglar el pago de la deuda interior y exterior de la Confederación.

7.° Fijar anualmente el presupuesto de gastos de administración de la Confederación, y aprobar o desechar la cuenta de inversión.

8.° Acordar subsidios del Tesoro Nacional a las Provincias cuyas rentas no alcancen, según sus presupuestos, a cubrir sus gastos ordinarios.

9.° Reglamentar la libre Navegación de los ríos interiores, habilitar los puertos que considere convenientes, y crear y suprimir aduanas.

10. Hacer sellar moneda, fijar su valor y el de las extranjeras, y adoptar un sistema uniforme de pesas y medidas para toda la Confederación.

11. Dictar los códigos civil, comercial, penal y de minería, y especialmente leyes generales para toda la Confederación sobre ciudadanía o naturalización, sobre bancarrotas, sobre falsificación de la moneda corriente y documentos públicos del Estado, y las que requiera el establecimiento del juicio por jurados.

12. Reglar el comercio marítimo y terrestre con las naciones extranjeras y de las Provincias entre sí.

13. Arreglar y establecer las postas y correos generales de la Confederación.

14. Arreglar definitivamente los límites del territorio de la Confederación, fijar los de las Provincias, crear otras nuevas, y determinar por una legislación especial la organización, administración y gobierno que deben tener los te-

rritorios nacionales, que queden fuera de los límites que se asignen a las Provincias.

15. Proveer a la seguridad de las fronteras; conservando el trato pacífico con los indios, y promover la conversión de ellos al catolicismo.

16. Proveer lo conducente a la prosperidad del país, al adelanto y bienestar de todas las Provincias, y al progreso de la ilustración, dictando planes de instrucción general y universitaria, y promoviendo la industria, la inmigración, la construcción de ferrocarriles y canales navegables, la colonización de tierras de propiedad nacional, la introducción y establecimientos de nuevas industrias, la importación de capitales extranjeros y la exploración de los ríos interiores, por leyes protectoras de estos fines y por concesiones temporales de privilegios y recompensas de estímulo.

17. Establecer Tribunales inferiores a la Suprema Corte de Justicia, crear y suprimir empleos, fijar sus atribuciones, dar pensiones, decretar honores y conceder amnistías generales.

18. Admitir o desechar los motivos de dimisión del presidente o vicepresidente de la República, y declarar el caso de proceder a nueva elección; hacer el escrutinio y rectificación de ella.

19. Aprobar o desechar los tratados concluidos con las demás Naciones, y los concordatos con la silla Apostólica; y arreglar el ejercicio del patronato en toda la Confederación.

20. Admitir en el territorio de la Confederación otras órdenes religiosas a más de las existentes.

21. Autorizar al Poder Ejecutivo para declarar la guerra o hacer la paz.

22. Conceder patentes de corso y de represalias, y establecer reglamentos para las presas.

23. Fijar la fuerza de línea de tierra y de mar en tiempo de paz y guerra; y formar reglamentos y ordenanzas para el gobierno de dichos ejércitos.

24. Autorizar la reunión de las Milicias de todas las Provincias, o parte de ellas, cuando lo exija la ejecución de las leyes de la confederación, y sea necesario contener las insurrecciones o repeler las invasiones. Disponer la organización, armamento y disciplina de dichas milicias, y la administración y gobierno de la parte de ellas que estuviese empleada en servicio de la Confederación, dejando a las Provincias el nombramiento de sus correspondientes jefes y oficiales, y el cuidado de establecer en su respectiva milicia, la disciplina prescripta por el congreso.

25. Permitir la introducción de tropas extranjeras en el territorio de la Confederación, y la salida de las fuerzas nacionales fuera de él.

26. Declarar en estado de sitio uno o varios puntos de la Confederación en caso de conmoción interior, y aprobar o suspender el estado de sitio declarado, durante su receso, por el Poder Ejecutivo.

27. Ejercer una legislación exclusiva en todo el territorio de la capital de la Confederación, y sobre los demás lugares adquiridos por compra o cesión en cualquiera de las Provincias para establecer fortalezas, arsenales, almacenes u otros establecimientos de utilidad nacional.

28. Examinar las Constituciones Provinciales y reprobarlas, sino estuvieren conformes con los principios y disposiciones de esta Constitución; y hacer todas las leyes y reglamentos que sean convenientes para poner en ejercicio los poderes antecedentes y los otros concedidos por la presente Constitución al Gobierno de la Confederación Argentina.

Capítulo V. De la formación y sanción de las leyes

Artículo 65. Las leyes pueden tener principio en cualquiera de las cámaras del congreso, por proyectos presentados por sus miembros o por el Poder Ejecutivo; excepto las relativas a los objetos de que tratan los artículos 40 y 51.

Artículo 66. Aprobado un proyecto de ley por la Cámara de su origen, pasa para su discusión a la otra Cámara. Aprobado por ambos, pasa al Poder Ejecutivo de la Confederación para su examen; y si también obtiene su aprobación, lo promulga como ley.

Artículo 67. Se reputa aprobado por el Poder Ejecutivo todo proyecto no devuelto en el término de diez días útiles.

Artículo 68. Ningún proyecto de ley desechado totalmente por una de las cámaras, podrá repetirse en las sesiones de aquel año. Pero si solo fuere adicionado o corregido por la Cámara revisora, volverá a la de su origen; y si en esta se aprobasen las adiciones o correcciones por mayoría absoluta, pasará al Poder Ejecutivo de la Confederación. Si las adiciones o correcciones fuesen desechadas, volverá segunda vez el proyecto a la Cámara revisora, y si aquí fueren nuevamente sancionadas por una mayoría de las dos terceras partes de sus miembros, pasará el proyecto a la otra Cámara, y no se entenderá que esta reprueba dichas adiciones o correcciones, sino concurre para ello el voto de las dos terceras partes de sus miembros presentes.

Artículo 69. Desechado en el todo o en parte un proyecto por el Poder Ejecutivo, vuelve con sus objeciones a la Cámara de su origen: esta lo discute de nuevo, y si lo confirma por mayoría de dos tercios de votos, pasa otra vez a la Cámara de revisión. Si ambas Cámaras lo sancionan por igual mayoría, el proyecto es ley y pasa al Poder Ejecutivo, para su promulgación. Las votaciones de ambas Cámaras serán en este caso nominales, por sí o por no; y tanto los nombres y fundamentos de los sufragantes como las objeciones del Poder Ejecutivo, se publicarán inmediatamente por la prensa. Si las Cámaras difieren sobre las objeciones, el proyecto no podrá repetirse en las sesiones de aquel año.

Artículo 70. En la sanción de las leyes se usará de fórmula: El Senado y Cámara de diputados de la Confederación Argentina, reunidos en Congreso, etc. decretan y sancionan con fuerza de ley.

Sección 2.ª Del Poder Ejecutivo

Capítulo I. De su naturaleza y duración

Artículo 71. El Poder Ejecutivo de la Nación será desempeñado por un ciudadano con el título de presidente de la Confederación Argentina.

Artículo 72. En caso de enfermedad, ausencia de la Capital, muerte, renuncia o destitución del presidente, el Poder Ejecutivo será, ejercido por el vicepresidente de la Confederación. En caso de destitución, muerte, dimisión o inhabilidad del presidente y vicepresidente de la Confederación el Congreso determinará que funcionario público ha de desempeñar la presidencia hasta que haya cesado la causa de la inhabilidad o un nuevo presidente sea electo.

Artículo 73. Para ser elegido presidente o vicepresidente de la Confederación, se requiere haber nacido en el territorio argentino, o ser hijo de ciudadano nativo, habiendo nacido en país extranjero; pertenecer a la comunión Católica Apostólica Romana, y las demás calidades exigidas para ser electo senador.

Artículo 74. El presidente y vicepresidente duran en sus empleos el término de seis años; y no pueden ser reelegidos sino con intervalo de un período.

Artículo 75. El presidente de la Confederación cesa en el poder el día mismo en que espira su período de seis años; sin que evento alguno que lo haya interrumpido, pueda ser motivo de que se le complete más tarde.

Artículo 76. El presidente y vicepresidente disfrutan de un eneldo pagado por el Tesoro de la Confederación, que no podrá ser alterado en el periodo de su nombramiento. Durante el mismo periodo no podrán ejercer otro empleo, ni recibir ningún otro emolumento de la Confederación ni de Provincia alguna.

Artículo 77. Al tomar posesión de su cargo el presidente y vicepresidente prestarán juramento en manos del presidente del Senado (la primera vez del presidente del Congreso Constituyente), estando reunido el congreso, en los términos siguientes: «Yo N. N. juro por Dios Nuestro Señor y estos Santos Evangelios, desempeñar con lealtad y patriotismo el cargo de presidente (o vicepresidente) de la Confederación; y observar y hacer observar fielmente la Constitución de la Confederación Argentina. Si así no lo hiciere, Dios y la Confederación me lo demanden.

Capítulo II. De la forma y tiempo de la elección del
presidente y vicepresidente de la Confederación

Artículo 78. La elección del presidente y vicepresidente de la Confederación se hará del modo siguiente: La Capital y cada una de las Provincias nombrarán por votación directa una junta de electores, igual al duplo del total de diputados y senadores que envían al Congreso, con las mismas calidades y bajo las mismas formas prescriptas para elección de diputados.

No pueden ser electores los diputados, los senadores, ni los empleados a sueldo del Gobierno Federal.

Reunidos los electores en la Capital de la Confederación y en la de sus provincias respectivas cuatro meses antes que concluya el término del presidente cesante, procederán a elegir presidente y vicepresidente de la Confederación por cédulas firmadas, expresando en una, la persona por quien votan para presidente y en otra distinta la que eligen para vicepresidente.

Se harán dos listas de todos los individuos electos para presidente y otras dos de los nombrados para vicepresidente con el número de votos que cada uno de ellos hubiera obtenido. Estas listas serán firmadas por los electores, y se remitirán cerradas y selladas dos de ellas (una de cada clase), al presidente de la Legislatura Provincial, y en la capital, al presidente de la Municipalidad, en cuyos registros permanecerán depositadas y cerradas; y las otras dos al presidente del Senado (la primera vez al presidente del Congreso Constituyente).

Artículo 79. El presidente del Senado (la primera vez el del Congreso Constituyente), reunidas todas las listas, las abrirá, a presencia de ambas cámaras. Asociados a los secretarios cuatro miembros del Congreso sacados a la suerte, procederán inmediatamente a hacer el escrutinio y anunciar el número de sufragios que resulte en favor de cada candidato para la Presidencia y Vicepresidencia de la Confederación. Los que reúnan en ambos casos la mayoría absoluta de todos los votos, serán proclamados inmediatamente presidente y vicepresidente.

Artículo 80. En el caso de que, por dividirse la votación no hubiere mayoría absoluta, elegirá el Congreso entre las dos personas que hubieren obtenido mayor número de sufragios. Si la primera mayoría que resultare, hubiese cabido a mas de dos personas elegirá el Congreso entre todas estas. Si la primera mayoría hubiere cabido a una sola persona, y la segunda a dos o mas, elegirá el Congreso entre todas las personas que hayan obtenido la primera y segunda mayoría.

Artículo 81. Esta elección se hará a pluralidad absoluta de sufragios, y por votación nominal. Si verificada la primera votación no resultare mayoría absoluta, se hará segunda vez, contrayéndose la votación a las dos personas que en la primera hubiesen obtenido mayor número de sufragios. En caso de empate se repetirá la votación, y si resultase nuevo empate, decidirá el presidente del Senado (la primera vez el del Congreso Constituyente). No podrá, hacerse el escrutinio, ni la rectificación de estas elecciones, sin que estén presentes las tres cuartas partes del total de los miembros del Congreso.

Artículo 82. La elección del presidente y vicepresidente de la Confederación, debe quedar concluida en una sola sesión del Congreso, publicándose enseguida el resultado de esta y las actas electorales por la prensa.

Capítulo III. Atribuciones del Poder Ejecutivo

Artículo 83. El presidente de la Confederación tiene las siguientes atribuciones:

1. Es el jefe supremo de la Confederación, y tiene a su cargo la administración general del país.

2. Expide las instrucciones y reglamentos que sean necesarios para la ejecución de las leyes de la Confederación, cuidando de no alterar su espíritu con excepciones reglamentarias.

3. Es el jefe inmediato y local de la Capital de la Confederación.

4. Participa de la formación de las leyes con arreglo a la Constitución, las sanciona y promulga.

5. Nombra los magistrados de la Corte Suprema y de los demás tribunales federales inferiores, con acuerdo del Senado.

6. Puede indultar o conmutar las penas por delitos sujetos a la jurisdicción federal, previo informe del tribunal correspondiente, excepto en los casos de acusación por la Cámara de diputados.

7. Concede jubilaciones, retiros, licencias y goce de monte-pies, conforme a las leyes de la Confederación.

8. Ejerce los derechos del Patronato Nacional en la presentación de obispos para las iglesias catedrales, a propuesta en terna del Senado.

9. Concede el pase o retiene los decretos de los Concilios, las Bulas, Breves y Rescriptos del sumo pontífice de Roma, con acuerdo de la Suprema Corte; requiriéndose una ley cuando contienen disposiciones generales y permanentes.

10. Nombra y remueve a los ministros plenipotenciarios y encargados de negocios, con acuerdo del Senado: y por sí solo nombra y remueve los ministros del despacho, los oficiales de sus Secretarías, los agentes consulares, y demás empleados de la administración, cuyo nombramiento no esté reglado de otra manera por esta Constitución.

11. Hace anualmente, la apertura de las sesiones del Congreso, reunidas al efecto ambas Cámaras en la Sala del Senado, dando cuenta en esta ocasión al Congreso del estado de la Confederación, de las reformas prometidas por la Constitución, y recomendando a su consideración las medidas que juzgue necesarias y convenientes.

12. Prorroga las sesiones ordinarias del Congreso, lo convoca a sesiones extraordinarias, cuando un grave interés de orden o de progreso la requieran.

13. Hace recaudar las rentas de la Confederación, y decreta su inversión con arreglo a la ley o presupuestos de gastos nacionales.

14. Concluye y firma tratados de paz, de comercio, de navegación, de alianzas, de límites y de neutralidad, concordatos y otras negociaciones requeridas para el mantenimiento de buenas relaciones con las potencias extranjeras, recibe sus ministros y admite sus cónsules.

15. Es comandante en jefe, de todas las fuerzas de mar y tierra de la Confederación.

16. Provee los empleos militares de la Confederación, con acuerdo del Senado, en la concesión de los empleos o grados de oficiales superiores del ejército y armada; y por sí solo en el campo de batalla.

17. Dispone de las fuerzas militares, marítimas y terrestres, y corre con su organización y distribución, según las necesidades de la Confederación.

18. Declara la guerra y concede patentes de corso y cartas de represalias, con autorización y aprobación del Congreso.

19. Declara en estado de sitio uno o varios puntos de la Confederación, en caso de ataque exterior, y por un término limitado, con acuerdo del Senado. En caso de conmoción interior solo tiene esta facultad cuando el Congreso está en receso, porque es atribución que corresponde a este cuerpo. El presidente la ejerce con las limitaciones prescriptas en el **Artículo** 23.

20. Aun estando en sesiones el Congreso, en casos urgentes en que peligre la tranquilidad pública, el presidente podrá por sí solo usar sobre las personas, de la facultad limitada en el **Artículo** 23; dando cuenta a este cuerpo en el término de diez días desde que comenzó a ejercerla. Pero si el Congreso no hace declaración de sitio, las personas arrestadas o trasladadas de uno a otro punto, serán restituidas al pleno goce de su libertad, a no ser que habiendo sido sujetas

a juicio, debiesen continuar en arresto por disposición del juez o Tribunal que conociere de la causa.

21. Puede pedir a los jefes de todos los ramos y departamentos de la administración, y por su conducto a los demás empleados, los informes que crea convenientes, y ellos son obligados a darlos.

22. No puede ausentarse del territorio de la Capital, sino con permiso del Congreso. En el receso de éste, solo podrá hacerlo sin licencia por graves objetos de servicio público.

23. En todos los casos en que según los artículos anteriores, debe el Poder Ejecutivo proceder con acuerdo del Senado, podrá durante el receso de este, proceder por sí solo, dando cuenta de lo obrado a dicha Cámara en la próxima reunión para obtener su aprobación.

Capítulo IV. De los ministros del Poder Ejecutivo

Artículo 84. Cinco ministros Secretarios, a saber: Del Interior, — de Relaciones Estertores, — de Hacienda, — de Justicia, Culto e Instrucción Pública — y de Guerra y Marina, tendrán a su cargo el despacho de los Negocios de la Confederación, y refrendarán y legalizarán los actos del presidente por medio de su firma, sin cuyo requisito carecen de eficacia. Una ley deslindará los ramos del respectivo despacho de los ministros.

Artículo 85. Cada ministro es responsable de los actos que legaliza; y solidariamente de los que acuerda con sus colegas.

Artículo 86. Los ministros no pueden por sí solos, en ningún caso, tomar resoluciones sin previo mandato o consentimiento del presidente de la Confederación; a excepción de lo concerniente al régimen económico y administrativo de sus respectivos departamentos.

Artículo 87. Luego que el Congreso abra sus sesiones, deberán los ministros del despacho presentarle una memoria detallada del estado de la Confederación, en lo relativo a los negocios de sus respectivos departamentos.

Artículo 88. No pueden ser senadores ni diputados sin hacer dimisión de sus empleos de ministros.

Artículo 89. Pueden los ministros concurrir a las sesiones del Congreso y tomar parte en sus debates, pero no votar.

Artículo 90. Gozarán por sus servicios de un sueldo establecido por la ley, que no podrá ser aumentado ni disminuido en favor o perjuicio de los que se hallen en ejercicio.

Sección 3.ª Del Poder Judicial

Capítulo I. De su naturaleza y duración

Artículo 91. El Poder Judicial de la Confederación, será ejercido por una Corte Suprema de Justicia, compuesta de nueve jueces y dos fiscales, que residirá en la Capital, y por los demás tribunales inferiores que el Congreso estableciere en el territorio de la Confederación.

Artículo 92. En ningún caso el presidente de la Confederación puede ejercer funciones judiciales, arrogarse el conocimiento de causas pendientes, o restablecer las fenecidas.

Artículo 93. Los jueces de la Corte Suprema y de los tribunales inferiores de la Confederación, conservarán sus empleos mientras dure su buena conducta, y recibirán por sus servicios una compensación que determinará la ley, y que no podrá ser disminuida en manera alguna, mientras permanecieron en sus funciones.

Artículo 94. Ninguno podrá ser miembro de la Corte Suprema de Justicia, sin ser abogado de la Confederación con ocho años de ejercicio, y tener las calidades requeridas para ser senador.

Artículo 95. En la primera instalación de la Corte Suprema, los individuos nombrados prestarán juramento en manos del presidente de la Confederación, de desempeñar sus obligaciones administrando justicia bien y legalmente, y en conformidad a lo que prescribe la Constitución.

En lo sucesivo, lo prestarán ante el presidente de la misma Corte.

Artículo 96. La Corte Suprema dictará su reglamento interior y económico, y nombrará todos sus empleados subalternos.

Capítulo II. Atribuciones del Poder Judicial

Artículo 97. Corresponde a la Corte Suprema y a los tribunales inferiores de la Confederación, el conocimiento y decisión de todas las causas que versen sobre puntos regidos por la Constitución, por las leyes de la Confederación, y por los tratados con las naciones extranjeras; de los conflictos entre los diferentes poderes públicos de una misma Provincia; de las causas concernientes a embajadores, ministros públicos y cónsules extranjeros; de las causas del almirantazgo y jurisdicción marítima; de los recursos de fuerza; de los asuntos en que la Confederación sea parte; de las causas que se susciten entre dos o mas Provincias; entre una Provincia y los vecinos de otra; entre los vecinos de diferentes Provincias; entre una Provincia y sus propios vecinos; y entre una Provincia y un Estado o ciudadano extranjero.

Artículo 98. En estos casos, la Corte Suprema ejercerá su jurisdicción por apelación, según las reglas y excepciones que prescriba el Congreso; pero en todos los asuntos concernientes a embajadores, ministros y cónsules extranjeros, en los que alguna Provincia fuese parte, y en la decisión de los conflictos entre los poderes públicos de una misma Provincia, la ejercerá originaria y exclusivamente.

Artículo 99. Todos los juicios criminales ordinarios, que no se deriven del derecho de acusación concedido a la Cámara de diputados, se terminarán por jurados, luego que se establezca en la Confederación esta institución. La actuación de estos juicios se hará en la misma Provincia donde se hubiere cometido el delito; pero cuando este se cometa fuera de los límites de la Confederación, contra el Derecho de Gentes, el Congreso determinará por una ley especial el lugar en que haya de seguirse el juicio.

Artículo 100. La traición contra la Confederación consistirá únicamente en tomar las armas contra ella, o en unirse a sus enemigos prestándoles ayuda y socorro. El Congreso fijará por una ley especial la pena de este delito; pero ella no pasara de la persona del delincuente, ni la infamia del reo se trasmitirá a sus parientes de cualquier grado.

Título II. Gobiernos de Provincia

Artículo 101. Las Provincias conservan todo el poder no delegado por esta Constitución al Gobierno federal.

Artículo 102. Se dan sus propias instituciones locales y se rigen por ellas. Eligen sus gobernadores, sus legisladores y demás funcionarios de Provincia, sin intervención del Gobierno federal.

Artículo 103. Cada Provincia dicta su propia Constitución, y antes de ponerla en ejercicio, la remite al Congreso para su examen, conforme a lo dispuesto en el artículo 5.°

Artículo 104. Las Provincias pueden celebrar tratados parciales para fines de administración de justicia, de intereses económicos y trabajos de utilidad común, con conocimiento del Congreso federal; y promover su industria, la inmigración, la construcción de ferrocarriles y canales navegables, la colonización de tierras de propiedad provincial, la introducción y establecimientos de nuevas industrias, la importación de capitales extranjeros, y la exploración de sus ríos, por leyes protectoras de estos fines, y con sus recursos propios.

Artículo 105. Las Provincias no ejercen el poder delegado a la Confederación. No pueden celebrar tratados parciales de carácter político; ni expedir leyes sobre comercio, o navegación interior o exterior; ni establecer Aduanas Provinciales; ni acuñar moneda; ni establecer bancos con facultad de emitir billetes, sin autorización del Congreso federal; ni dictar los códigos civil, comercial, penal y de minería, después que el Congreso los haya sancionado; ni dictar especialmente leyes sobre ciudadanía y naturalización, bancarrotas, falsificación de moneda o documentos del Estado; ni establecer derecho de tonelaje; ni armar buques de guerra o levantar ejércitos, salvo el caso de invasión exterior o de un peligro tan inminente que no admita dilación, dando luego cuenta al Gobierno federal; ni nombrar o recibir agentes extranjeros; ni admitir nuevas órdenes religiosas.

Artículo 106. Ninguna Provincia puede declarar ni hacer la guerra a otra Provincia. Sus quejas deben ser sometidas a la Corte Suprema de Justicia y dirimidas por ella. Sus hostilidades de hecho son actos de guerra civil, calificados de sedición o asonada, que el Gobierno federal debe sofocar y reprimir conforme a la ley.

Artículo 107. Los gobernadores de Provincia, son agentes naturales del Gobierno federal, para hacer cumplir la Constitución y las leyes de la Confederación.

Dada en la sala de Sesiones del Congreso General Constituyente, en la ciudad de Santa Fe el día 1.º de mayo del año del Señor de 1853.

Facundo Zuviria, presidente y diputado por la Provincia de Salta — Pedro Zenteno, diputado por Catamarca — Pedro Ferré, diputado por Catamarca — Pedro Diez Colodrero, diputado por Corrientes — Luciano Torrent, diputado por Corrientes — Juan María Gutiérrez, diputado por Entre-Rios — José Quintana, diputado por Jujuy — Manuel Padilla, diputado por Jujuy — Agustín Delgado, diputado por

Mendoza — Martín Zapata, diputado por Mendoza — Regis Martínez, diputado por La Rioja — Salvador María del Carril, diputado por San Juan — Juan del Campillo, diputado por Córdoba — Santiago Derqui, diputado por Córdoba — Ruperto Godoy, diputado por San Juan — Delfín B. Huergo, diputado por San Luis — Juan Llerena, diputado por San Luis — Juan Francisco Seguí, diputado por Santa-Fe — Manuel Leiva, diputado por Santa-Fe — Benjamín J. Lavaísse, diputado por Santiago del Estero — José Benjamín Gorostiaga, diputado por Santiago del Estero — Fray José Manuel Pérez, diputado por Tucumán — Salustiano Zavalía, diputado por Tucumán — José María Zuviria, Secretario.

Lk